soupes

21 Rue du Montparnasse 75283 Paris cedex 06

Sommaire

Panais

Velouté de panais et de patate douce à la crème 44
Soupe de panais et carotte à la coriandre 46

Petits pois

Crème de petits pois 47
Velouté de petits pois à la feta 48
Soupe asiatique aux petits pois 50

Poireau

Velouté de poireau acidulé 51
Crème de poireau safranée au cerfeuil 52

Potiron

Crème de potimarron aux châtaignes 54
Soupe de potiron comme aux États-Unis 55
Soupe de potiron, sorbet aux herbes 56

Tomate

Velouté à la tomate 58
Soupe aux tortillas 59
Gaspacho 60

Fruits de mer

Soupe de crevettes aux courgettes
et à la coriandre 70
Soupe de légumes aux crevettes 71
Crème de langoustine au vin blanc 72
Soupe au crabe 74
Soupe de pétoncles au thym citron 75
Soupe de calmar en sauce tomate 76
Soupe de moules 78
Soupe aux moules et au tofu 80
Potage aux huîtres 81
Huîtres pochées à la julienne de carotte 82
Clam chowder 84

SOUPES AU POISSON ET AUX FRUITS DE MER

Poissons

Soupe de congre 62
Soupe de brochet 63
Bouillabaisse 64
Bourride sétoise 66
Velouté de poisson 67
Crème de lentilles
au saumon fumé 68

SOUPES AVEC VIANDE

Agneau

Potage indien à l'agneau et au curcuma 86
Velouté de Fès 87

Bœuf

Bouillon de bœuf aux saveurs asiatiques 88

Porc et jambon

Potage à la sicilienne 90
Soupe antillaise aux herbes 91

Poulet

Bouillon de poulet au gingembre
et au lait de coco 92
Soupe au poulet et aux nouilles de riz 94
Crème de poulet à la californienne 95

POUR 4 PERSONNES

Préparation : 20 min
Cuisson : 12 à 15 min

1 kg d'asperges vertes

10 cl de crème liquide
à 8 % MG

75 cl de lait écrémé

2 pincées de piment
de Cayenne

1 pincée de noix muscade râpée

1 cuill. à café
de fécule de maïs

2 cuill. à café
d'huile de noisette

sel et poivre du moulin

Velouté d'asperge, chantilly au poivre

- Coupez l'extrémité dure des asperges et grattez les tiges avec un couteau éplucheur. Coupez les pointes à 3 cm et les tiges en rondelles. Faites cuire les pointes 4 ou 5 minutes à la vapeur et réservez-les. Mettez la crème 10 minutes au congélateur dans un petit saladier.

- Faites bouillir le lait dans une casserole avec 1 pincée de sel. Plongez-y les rondelles d'asperge et faites-les cuire de 10 à 12 minutes jusqu'à ce qu'elles soient bien tendres. Poivrez, ajoutez le piment et la muscade et mixez 2 ou 3 minutes pour obtenir un mélange très lisse. Transvasez dans une autre casserole à travers une passoire fine.

- Délayez la fécule avec 1 cuillerée à soupe d'eau et versez-la dans la casserole. Portez doucement à ébullition et laissez cuire 2 minutes en remuant jusqu'à l'obtention d'un velouté onctueux. Sortez la crème du congélateur et fouettez-la en chantilly ferme en la poivrant un peu.

- Versez le velouté dans quatre bols et posez la chantilly en gros flocons à la surface. Répartissez les pointes d'asperge et décorez de poivre concassé.

- Au moment de servir, arrosez le velouté de gouttes d'huile de noisette.

Potage d'asperge

1 kg d'asperges

50 g de beurre

50 g de farine

50 cl de lait

2 jaunes d'œufs

3 cuill. à soupe
de crème fraîche

1 petit bouquet de cerfeuil

sel et poivre du moulin

- Pelez les asperges et supprimez les parties des tiges les plus dures et les plus filandreuses. Lavez-les puis faites-les cuire 20 minutes environ à l'eau bouillante salée. Égouttez-les et réservez l'eau de cuisson.
- Coupez les pointes des asperges, que vous réserverez pour la décoration.
- Dans une casserole à fond épais, faites fondre le beurre et ajoutez la farine. Laissez blondir, en remuant à la cuillère en bois. Mouillez avec 1 l d'eau de cuisson et le lait. Salez et poivrez. Ajoutez les asperges, excepté les pointes réservées. Laissez mijoter pendant 10 minutes.
- Passez le potage à la moulinette. Faites chauffer. Pendant ce temps, délayez les jaunes d'œufs dans la crème, versez le tout dans le potage. Ajoutez les pointes d'asperge. Rectifiez l'assaisonnement et parsemez de cerfeuil haché.
- Réchauffez à feu très doux, sans faire bouillir.
- Servez immédiatement.

Utilisez de préférence des asperges vertes : elles donneront une jolie couleur à votre potage.

POUR 4 PERSONNES

Préparation : 20 min
Sans cuisson

4 avocats bien mûrs

le jus de 1/2 citron vert

20 cl de crème fraîche

30 cl de bouillon de volaille
(frais ou préparé
avec une tablette de concentré)

1 pincée de piment de Cayenne
en poudre (ou quelques
gouttes de Tabasco)

1 ou 2 brins d'estragon

sel et poivre du moulin

Potage glacé à l'avocat

- Coupez les avocats en deux jusqu'au noyau, prenez chaque moitié dans une main et tournez-les en sens opposé pour ouvrir le fruit. Retirez les noyaux. Prélevez la chair à l'aide d'une petite cuillère, mettez-la dans le bol du mixer et arrosez-la aussitôt avec le jus du demi-citron vert.

- Ajoutez la crème fraîche et le bouillon et mixez les ingrédients jusqu'à l'obtention d'une crème lisse et onctueuse.

- Salez et poivrez, ajoutez le piment de Cayenne (ou quelques gouttes de Tabasco) et l'estragon, puis versez dans un saladier ou dans des bols individuels. Mettez au réfrigérateur jusqu'au moment de servir.

- Servez glacé avec des croûtons de pain grillés.

Vous pouvez agrémenter ce potage à l'avocat de dés de tomate et de concombre ou encore de petits morceaux de crustacé (crevettes ou crabe).

POUR 4 PERSONNES

Préparation : 10 minutes
Cuisson : 30 minutes

1 oignon

1 gousse d'ail

250 g de brocolis

300 g d'épinards frais

2 pommes de terre

2 cuill. à soupe d'huile d'olive

50 g de beurre

90 cl de bouillon de volaille ou
de légumes

100 g de gorgonzola

le jus de 1/2 citron

1 pincée de noix muscade râpée

80 g de pignons grillés

sel et poivre du moulin

soupe au brocoli et aux épinards

- Épluchez et émincez l'oignon et l'ail. Lavez le reste des légumes. Détachez les fleurettes du brocoli. Hachez les épinards. Épluchez et pelez les pommes de terre.

- Mettez l'huile et le beurre à chauffer dans une casserole. Ajoutez l'oignon et l'ail et faites revenir pendant 3 minutes. Mettez-y ensuite les brocolis et les épinards, laissez revenir, puis versez le bouillon et les pommes de terre. Amenez à ébullition et faites mijoter pendant 25 minutes.

- Découpez le gorgonzola en petits dés et ajoutez-le dans la casserole avec le jus de citron et la noix muscade. Salez et poivrez. Garnissez avec les pignons grillés. Servez avec des tranches de pain dorées au four.

Vichyssoise

2 blancs de poireau
400 g de pommes de terre
40 g de beurre
1 bouquet garni
20 cl de crème fraîche
ciboulette
sel et poivre du moulin

- Coupez en rondelles les blancs de poireau et les pommes de terre. Faites fondre le beurre dans une casserole, et ajoutez les poireaux. Faites cuire à couvert, sans coloration, pendant 10 minutes, puis ajoutez les pommes de terre et remuez. Ajoutez 1,5 l d'eau et le bouquet garni, salez, poivrez et portez à ébullition. Faites cuire de 30 à 40 minutes.

- Mixez le tout et remettez à chauffer.

- Ajoutez la crème fraîche et portez de nouveau à ébullition en fouettant. Rectifiez l'assaisonnement si besoin.

- Laissez refroidir le potage puis mettez-le 1 ou 2 heures au réfrigérateur (ou 15 minutes dans le congélateur).

- Servez bien froid, parsemé de ciboulette ciselée.

POUR 4 PERSONNES

Préparation : 10 min
Cuisson : 20 min

500 g de carottes

500 g de potiron

1 pomme de terre bintje

1 cuill. à soupe d'huile d'olive

1 orange

1 tablette de bouillon
de volaille

2 cuill. à café
de cumin en poudre

sel et poivre du moulin

Potage de carotte et potiron au cumin

- Pelez les carottes, le potiron et la pomme de terre, lavez-les et coupez-les en morceaux.

- Faites chauffer l'huile dans un autocuiseur et faites revenir les légumes pendant 2 minutes en remuant.

- Pressez l'orange, versez le jus dans l'autocuiseur et ajoutez 1 l d'eau, la tablette de bouillon émietté et le cumin. Salez et poivrez.

- Fermez l'autocuiseur et laissez cuire environ 15 minutes après la mise en rotation de la soupape.

- Mixez et servez bien chaud.

Vous pouvez remplacer le cumin par du curry en poudre.

60 cl de bouillon de volaille
(frais ou préparé avec une
tablette de concentré)

25 cl de crème liquide

300 g de châtaignes pelées,
fraîches ou surgelées

30 g de cerneaux de noix
(facultatif)

600 g de cèpes frais

2 échalotes

1 cuill. à soupe
d'huile de tournesol

1 cuill. à soupe
de cerfeuil ciselé

4 cuill. à café
d'huile de noix (facultatif)

sel et poivre du moulin

Crème mousseuse aux cèpes et aux châtaignes

- Versez le bouillon et la crème dans une casserole et portez à ébullition en remuant. Ajoutez les châtaignes, salez, poivrez et laissez cuire à petits frémissements 25 minutes. Faites dorer doucement les cerneaux de noix dans une poêle à revêtement antiadhésif.

- Nettoyez les cèpes et coupez-les en lamelles. Pelez et émincez finement les échalotes. Faites-les fondre 5 minutes à feu doux dans une poêle avec l'huile de tournesol puis augmentez le feu et jetez les cèpes dans la poêle. Faites-les revenir 2 ou 3 minutes en remuant jusqu'à ce qu'ils soient bien dorés.

- Réservez 2 ou 3 châtaignes cuites. Coupez les autres en gros morceaux et mixez-les avec leur bouillon et la moitié des cèpes pendant 2 ou 3 minutes, jusqu'à obtenir un velouté mousseux. Rectifiez l'assaisonnement.

- Concassez les cerneaux de noix.

- Versez la crème dans des bols chauds et répartissez les lamelles de cèpe restantes et des morceaux de châtaigne. Parsemez d'éclats de noix, de cerfeuil et d'huile de noix.

- Servez aussitôt.

Préparation : 15 min
Cuisson : 25 min

500 g de bolets

1 petit bouquet de persil (20 g)

2 cèpes de taille moyenne

200 g de cheveux d'ange

1 cuill. à soupe
de parmesan râpé

4 cuill. à soupe d'huile d'olive

jus de citron

sel et poivre du moulin

soupe aux bolets et aux cèpes

- Lavez les bolets et mettez-les dans une casserole avec 1,5 l d'eau. Salez et laissez cuire pendant 20 minutes environ. Hachez le persil.

- Ôtez la casserole du feu, retirez les bolets avec une écumoire et réservez-les. Gardez l'eau de cuisson.

- Nettoyez les cèpes et coupez-les en tranches. Mettez-les dans l'eau de cuisson des bolets puis remettez la casserole sur le feu. Portez à ébullition, versez les cheveux d'ange en remuant et faites-les cuire.

- Servez cette soupe très chaude parsemée de persil et de parmesan et arrosée d'un filet d'huile.

- Servez à part les bolets réservés, assaisonnés d'huile d'olive, de jus de citron, de sel et de poivre.

POUR 4 PERSONNES

Préparation : 10 min
Cuisson : 10 à 12 min

1 petit chou-fleur

1 l de bouillon de volaille
(frais ou préparé avec une
tablette de concentré)

4 cuill. à soupe
de lait écrémé en poudre

50 g d'œufs de saumon
(ou de truite)

quelques pluches de cerfeuil

sel et poivre blanc du moulin

Velouté de chou-fleur aux œufs de saumon

- Séparez le chou-fleur en petits bouquets en laissant 2 ou 3 cm de tige. Posez les bouquets dans la partie supérieure d'un cuit-vapeur et faites-les cuire 3 ou 4 minutes. Égouttez-les.

- Versez le bouillon de volaille dans un petit faitout, portez-le à ébullition et ajoutez le chou-fleur. Faites reprendre l'ébullition puis laissez cuire 7 ou 8 minutes jusqu'à ce que les bouquets soient bien cuits (la tige doit être très tendre sous la pointe d'un couteau).

- Retirez du feu, ajoutez le lait écrémé en poudre et mixez pendant 2 ou 3 minutes jusqu'à l'obtention d'une consistance parfaitement onctueuse. Salez et poivrez.

- Versez dans des bols ou des assiettes creuses et posez délicatement 1 cuillerée d'œufs de saumon sur le velouté.

- Décorez de pluches de cerfeuil et servez sans attendre.

POUR 4 PERSONNES

Préparation : 15 min
Cuisson : 30 min
Réfrigération : 3 h

250 g de bouquets de chou-fleur

250 g de bouquets de brocoli

2 pommes acidulées

2 cuill. à soupe de jus de citron

2 oignons

30 g de beurre

1 cuill. à soupe de curry doux

1,2 l de bouillon de volaille
(frais ou préparé avec une
tablette de concentré)

10 cl de crème fraîche liquide

2 cuill. à soupe
d'amandes effilées

sel et poivre du moulin

Crème froide aux deux choux et à la pomme

- Lavez les bouquets de chou-fleur et de brocoli. Pelez et épépinez les pommes, coupez-les en lamelles et citronnez-les.

- Pelez et hachez les oignons. Faites fondre le beurre dans une casserole. Mettez-y les oignons à fondre pendant 2 minutes en remuant. Saupoudrez de curry. Remuez encore 2 minutes.

- Ajoutez les bouquets de chou-fleur et de brocoli et les lamelles de pomme. Versez le bouillon puis portez à ébullition. Laissez cuire 20 minutes environ à feu doux et à découvert.

- Gardez quelques bouquets de chou-fleur entiers pour la finition. Passez la soupe au moulin à légumes, grille fine. Laissez refroidir, incorporez la crème liquide et mettez au frais avec le chou-fleur réservé, au moins pendant 3 heures.

- Avant de servir, grillez les amandes en les remuant sur feu doux dans une poêle. Rectifiez l'assaisonnement de la crème de choux et répartissez-la dans des grands verres ou des bols. Parsemez d'amandes grillées et servez.

Utilisez des pommes de la variété granny smith, bien adaptées à la cuisson salée et qui apportent une agréable note acidulée.

POUR 4 PERSONNES

Préparation : 10 min
Cuisson : 8 min environ
Réfrigération : 1 h

3 concombres
20 g de beurre
1 pincée de piment de Cayenne en poudre
40 cl de crème fraîche liquide
sel et poivre du moulin

Velouté de concombre glacé à la crème

- Épluchez les concombres. Coupez-les en deux dans la longueur, retirez les graines et taillez-les ensuite en petits dés.
- Faites fondre le beurre dans une sauteuse, ajoutez alors les dés de concombre, couvrez et faites cuire doucement environ 8 minutes.
- Broyez les concombres dans un mixer pour obtenir une purée très fine. Salez et poivrez abondamment, ajoutez la pincée de piment de Cayenne et mélangez.
- Fouettez légèrement la crème fraîche pour l'aérer et la raffermir. Mélangez-la délicatement à la purée de concombre. Goûtez et rectifiez l'assaisonnement.
- Versez dans une soupière ou des bols individuels et mettez au réfrigérateur pendant au moins 1 heure.
- Servez très froid en entrée.

POUR 4 PERSONNES

Préparation : 5 min
Cuisson : 10 min

3 courgettes
2 pommes de terre bintje
150 g de feta
25 feuilles de menthe
sel et poivre du moulin

Velouté de courgette à la menthe et à la feta

- Ôtez les extrémités des courgettes, lavez-les et coupez-les en tronçons. Pelez les pommes de terre, lavez-les et coupez-les en deux.

- Déposez les légumes dans un autocuiseur. Recouvrez d'eau (environ 1 litre), et ajoutez la moitié de la feta et des feuilles de menthe. Salez et poivrez. Fermez l'autocuiseur et comptez 10 minutes de cuisson après la rotation de la soupape.

- Émiettez le reste de la feta et ciselez le reste de feuilles de menthe. Mixez et parsemez le velouté de ces deux ingrédients.

- Servez aussitôt.

Vous pouvez remplacer la feta par une bûche de chèvre et ajouter quelques olives noires coupées en dés.

POUR 6 PERSONNES

Préparation : 20 min
Cuisson : 25 min

3 oignons fanes

15 g de beurre

2 courgettes

1 bouquet de cerfeuil

2 bottes de persil plat

1 botte de basilic

300 g d'épinards frais

1/2 laitue

15 cl de crème liquide

sel et poivre du moulin

Velouté de courgette aux herbes

- Pelez les oignons et hachez-les. Dans une grande casserole, faites fondre le beurre pour y faire revenir à feu très doux le hachis d'oignon jusqu'à ce qu'il soit translucide. Pendant ce temps, lavez les courgettes, toutes les herbes, les épinards et la demi-laitue.

- Coupez les courgettes en petits cubes en enlevant les extrémités et en gardant la peau. Ciselez le persil avec les tiges. Équeutez les feuilles d'épinards. Taillez les feuilles de laitue et d'épinards en lanières.

- Ajoutez le persil dans la casserole qui contient les oignons. Remuez bien, puis ajoutez les courgettes, la laitue et les épinards en mélangeant bien.

- Couvrez avec 1,3 l d'eau et ajoutez 1 grosse pincée de sel. Laissez cuire à découvert pendant 20 minutes à petits bouillons. Effeuillez le basilic et le cerfeuil.

- Mixez le contenu de la casserole avec le cerfeuil et le basilic jusqu'à obtenir une consistance très lisse. Rectifiez l'assaisonnement au besoin.

- Au moment de servir, faites réchauffer à feu doux, puis ajoutez la crème et 2 tours de moulin de poivre.

Passez la soupe au moulin à légumes grille fine, puis émulsionnez-la au mixer plongeant. Elle n'en sera que plus légère et deviendra mousseuse.

20

POUR 4 PERSONNES

Préparation : 10 min
Cuisson : 25 min environ

Potage au cresson

1 oignon moyen

1 pomme de terre

1 cuill. à soupe
d'huile de tournesol

15 g de beurre

180 g de cresson

40 cl de bouillon de volaille
(frais ou préparé avec une
tablette de concentré)

40 cl de lait

le jus de 1 citron

sel et poivre du moulin

- Épluchez et émincez l'oignon. Pelez la pomme de terre et détaillez-la en petits cubes. Faites chauffer l'huile et le beurre dans une grande casserole, ajoutez l'oignon et faites-le revenir sans le laisser prendre couleur. Ajoutez les cubes de pomme de terre et laissez cuire pendant 3 minutes. Couvrez la casserole et faites suer les légumes pendant 5 minutes sur feu doux.

- Lavez le cresson. Coupez les tiges et hachez-les grossièrement.

- Versez le bouillon et le lait dans la casserole, ajoutez les tiges de cresson hachées, salez et poivrez. Portez à ébullition puis faites mijoter pendant 10 à 12 minutes. Ajoutez les feuilles de cresson et poursuivez la cuisson encore 2 minutes.

- Mixez le contenu de la casserole puis versez la soupe dans une autre casserole pour la réchauffer. Ajoutez un peu de jus de citron et rectifiez l'assaisonnement.

- Servez avec des tranches de pain de campagne légèrement grillées.

POUR 4 PERSONNES

Préparation : 15 min
Cuisson : 25 min environ

4 grosses endives

2 pommes de terre moyennes

4 brins de cerfeuil

10 g de sucre en poudre

1 l de bouillon de volaille
(frais ou préparé avec une
tablette de concentré)

1/2 cuill. à café d'anis vert
en grains

10 cl de crème liquide

sel et poivre blanc du moulin

Velouté d'endive à l'anis

- Débarrassez les endives des feuilles extérieures abîmées, puis essuyez-les soigneusement avec un linge humide. Supprimez le cône dur de la base qui donne l'amertume en le creusant avec un petit couteau pointu. Coupez ensuite les endives en rondelles en conservant 4 feuilles entières pour le décor.

- Pelez les pommes de terre, rincez-les à l'eau fraîche et coupez-les en cubes. Lavez le cerfeuil, conservez quelques pluches pour le décor.

- Plongez les rondelles d'endive pendant 3 minutes dans une casserole d'eau bouillante additionnée du sucre. Égouttez-les.

- Versez le bouillon de volaille dans un petit faitout et portez à ébullition. Ajoutez les endives, les pommes de terre et le cerfeuil, salez et poivrez. Faites repartir l'ébullition puis baissez le feu, couvrez et laissez cuire 20 minutes à petits frémissements.

- Ajoutez l'anis et la crème et mixez 2 ou 3 minutes jusqu'à l'obtention d'un velouté onctueux. Versez dans des bols, décorez avec les feuilles d'endive et le cerfeuil réservés et servez aussitôt.

POUR 4 PERSONNES

Préparation : 20 min

Cuisson : 15 min

300 g de roquette

400 g d'épinards

1 petit bouquet de ciboulette

2 oignons

2 cuill. à soupe d'huile d'olive

75 cl de bouillon de légumes
(frais ou préparé avec une
tablette de concentré)

250 g de gnocchis frais

1 morceau de parmesan

sel et poivre du moulin

soupe italienne aux gnocchis frais

- Équeutez les feuilles de roquette et celles d'épinards. Hachez-les grossièrement. Ciselez la ciboulette. Pelez et émincez les oignons. Faites chauffer 2 cuillerées à soupe d'huile dans une casserole. Ajoutez les oignons et faites-les fondre en remuant pendant 5 minutes.

- Incorporez les feuilles vertes. Faites cuire en remuant souvent 5 minutes sur feu moyen. Faites chauffer le bouillon. Versez la moitié du bouillon et mélangez. Mixez. Ajoutez le reste de bouillon et laissez chauffer. Salez et poivrez.

- Faites bouillir un grand volume d'eau, salez-la et plongez-y les gnocchi. Laissez-les remonter à la surface puis égouttez-les. Répartissez la soupe dans des assiettes creuses. Ajoutez les gnocchis, parsemez de ciboulette et de copeaux de parmesan.

Pour confectionner des copeaux de parmesan, racler un bloc de fromage avec un couteau éplucheur.

800 g d'épinards frais

1 échalote

20 g de beurre

2 pommes de terre

100 g de fromage de chèvre
en bûche

sel et poivre du moulin

Velouté d'épinards au chèvre

- Triez, équeutez et lavez soigneusement les épinards à l'eau fraîche. Égouttez-les. Pelez l'échalote et émincez-la finement. Faites fondre le beurre dans une grande marmite et faites suer l'échalote émincée. Ajoutez les épinards et laissez cuire de 3 à 5 minutes à feu moyen en remuant souvent (procédez en plusieurs fois).

- Pelez les pommes de terre, lavez-les et coupez-les en morceaux. Incorporez-les dans la marmite, salez, poivrez et couvrez d'eau (environ 1 litre). Portez à ébullition puis laissez mijoter à feu doux pendant environ 30 minutes.

- Versez le tout dans le bol du mixeur et actionnez celui-ci en incorporant petit à petit le fromage de chèvre coupé en morceaux (gardez-en quelques-uns pour la décoration).

- Versez le velouté dans des bols et décorez avec le reste de fromage.

Ajoutez quelques feuilles d'oseille pour un goût plus acidulé. Vous pouvez également remplacer le chèvre en bûche par de la feta.

1,5 à 2 kg de fèves en cosses
1 bouquet d'oseille
1 bouquet de persil
1 bouquet de cerfeuil
50 g de beurre
sel et poivre du moulin

soupe aux fèves fraîches

- Écossez les fèves et retirez la membrane qui les recouvre. Nettoyez l'oseille en retirant les queues, lavez-la et hachez-la. Lavez et hachez le persil et le cerfeuil.

- Dans une grande casserole, portez à ébullition 1,5 l d'eau salée. Jetez-y les fèves, l'oseille, le persil et le cerfeuil, couvrez et laissez cuire à feu moyen pendant 20 minutes.

- Passez la soupe au moulin à légumes.

- Remettez-la dans la casserole. Ajoutez le beurre, mélangez bien, laissez frémir quelques minutes, rectifiez l'assaisonnement et servez bien chaud.

On peut servir avec cette soupe des petits croûtons revenus au beurre salé.

POUR 4 PERSONNES

Préparation : 20 min
Réfrigération : 3 h
Cuisson : 30 min

600 g de fèves écossées
(fraîches ou surgelées)

2 oignons

20 g de beurre

quelques feuilles de laitue

10 cl de crème liquide

une vingtaine de feuilles
de menthe fraîche

sel et poivre du moulin

Potage glacé de fèves à la menthe

- Plongez les fèves 2 minutes dans de l'eau bouillante, égouttez, et laissez tiédir avant d'ôter la deuxième peau.

- Épluchez les oignons et émincez-les. Faites fondre le beurre dans une grande casserole. Lorsqu'il est chaud, faites suer les oignons émincés puis ajoutez les feuilles de laitue rincées et essorées. Laissez cuire quelques instants en remuant puis incorporez les fèves. Recouvrez d'eau, salez, poivrez et portez à ébullition.

- Baissez le feu et laissez mijoter pendant 25 à 30 minutes. Versez les fèves et leur bouillon dans un blender puis ajoutez la crème et la moitié des feuilles de menthe. Mixez pour obtenir un velouté. Rectifiez l'assaisonnement et mélangez. Laissez refroidir puis placez au réfrigérateur pendant au moins 3 heures.

- Au moment de servir, décorez avec le reste de menthe fraîche.

Pour gagner du temps, utilisez des fèves surgelées déjà pelées et préparez ce potage la veille.

POUR 4 PERSONNES

Préparation : 45 min
Cuisson : 13 à 18 min

1,2 kg de fèves en cosse

2 oignons moyens

2 petites laitues

2 tomates moyennes
bien mûres

1 cuill. à soupe d'huile d'olive

2 cuill. à soupe de basilic ciselé

sel et poivre du moulin

soupe italienne de fèves à la laitue et au basilic

- Écossez les fèves. Plongez-les 1 ou 2 minutes dans une casserole d'eau bouillante légèrement salée, égouttez-les et retirez la petite peau qui les enveloppe. Pelez les oignons et coupez-les en rondelles. Lavez les laitues dans plusieurs eaux, essorez-les sans les sécher et coupez les feuilles en gros morceaux. Pelez les tomates après les avoir ébouillantées 15 secondes, retirez les graines et coupez-les en petits dés.

- Faites chauffer l'huile d'olive dans un faitout, ajoutez les oignons et faites-les cuire doucement pendant 5 minutes en remuant fréquemment. Quand ils sont translucides, ajoutez les fèves et la laitue, couvrez de 1 l d'eau, salez, poivrez et portez à ébullition. Baissez le feu et laissez cuire à petits frémissements de 5 à 10 minutes selon la taille des fèves, jusqu'à ce qu'elles soient bien tendres.

- Mettez les dés de tomate dans la soupe et laissez encore 1 ou 2 minutes à feu doux. Ajoutez le basilic, mélangez bien et retirez du feu. Couvrez et laissez reposer 2 ou 3 minutes.

- Servez très chaud, en début de repas.

POUR 4 PERSONNES

Préparation : 20 min

Cuisson : 15 min

200 g de pommes de terre
bintje

1 poireau

1 gousse d'ail

3 branches de thym

250 g de haricots verts surgelés

1 petite tranche
de poitrine fumée

3 cuill. à soupe
de crème fraîche

persil plat

sel et poivre du moulin

Velouté de haricots verts

- Épluchez les pommes de terre et le poireau, lavez-les et coupez-les en morceaux.
- Déposez-les dans l'autocuiseur, ajoutez la gousse d'ail pelée, puis couvrez d'eau.
- Salez et poivrez. Ajoutez le thym et portez à ébullition. Lorsque le mélange bout, plongez-y les haricots verts et la poitrine fumée. Fermez l'autocuiseur et laissez cuire 10 minutes à partir de la rotation de la soupape.
- Ôtez le thym et la poitrine fumée, puis mixez le tout. Liez avec la crème, parsemez de persil ciselé et servez.

Accompagnez ce velouté d'une quiche et d'une salade d'endive.

POUR 6 PERSONNES

Trempage : 12 h
Préparation : 30 min
Cuisson : 1 h 30

150 g de haricots blancs secs

2 carottes

3 pommes de terre

1/4 de céleri-rave

2 poireaux

2 courgettes

3 tomates

4 cuill. à soupe d'huile d'olive

2 gousses d'ail

2 l de bouillon de bœuf
(frais ou préparé avec une
tablette de concentré)

4 branches de basilic

3 branches de persil

1 branche de thym

1 cuill. à soupe
de pâtes à potage

parmesan
(facultatif)

sel et poivre du moulin

Minestrone

- La veille, mettez les haricots à tremper dans de l'eau froide.
- Après les avoir égouttés, mettez-les dans une grande casserole avec 50 cl d'eau. Couvrez, portez à ébullition, baissez le feu et laissez cuire à petits bouillons pendant environ 30 minutes.
- Pendant ce temps, épluchez les carottes, les pommes de terre et le céleri-rave. Coupez le pied et les feuilles vertes des poireaux, nettoyez et lavez soigneusement les blancs. Lavez les courgettes. Plongez les tomates 1 minute dans l'eau bouillante, puis pelez-les. Coupez les tomates en quatre (ou en huit, selon leur grosseur) et les autres légumes en petits dés.
- Versez l'huile d'olive dans un grand faitout et faites-y fondre tous les légumes à feu doux. Surveillez la cuisson et remuez régulièrement.
- Pelez l'ail, écrasez-le et mettez-le dans le faitout. Dans une casserole, faites chauffer le bouillon et versez-le dans le faitout. Ajoutez les haricots avec leur eau de cuisson. Effeuillez 2 branches de basilic, lavez le persil, ajoutez ces herbes dans le faitout, ainsi que le thym. Couvrez et laissez cuire à feu doux pendant 45 minutes. Salez et poivrez.
- Jetez les pâtes en pluie dans le faitout et prolongez la cuisson pendant 2 ou 3 minutes. Retirez le thym et le persil du potage. Versez-le dans une soupière. Effeuillez les branches de basilic restantes et parsemez les feuilles sur le minestrone.
- Servez immédiatement.

Accompagnez de parmesan râpé.

Soupe verte maraîchère

1 chou nouveau

5 ou 6 blancs de poireau

4 pommes de terre moyennes

1 petite laitue

1 poignée d'oseille

quelques brins de cerfeuil

250 g de petits pois frais écossés (soit environ 500 g avec les cosses)

120 g de beurre

2 l d'eau
ou de consommé léger

sel et poivre du moulin

- Épluchez tous les légumes. Coupez le chou en huit, émincez les poireaux, coupez les pommes de terre en dés. Ciselez la laitue, l'oseille et le cerfeuil. Écossez les petits pois.

- Mettez 100 g de beurre à fondre doucement dans un faitout. Ajoutez le chou et les poireaux, couvrez et faites étuver pendant 10 à 15 minutes.

- Mouillez avec l'eau ou le consommé, ajoutez les pommes de terre, salez, poivrez et laissez cuire pendant 10 minutes.

- Entre-temps, faites fondre l'oseille et la laitue à feu doux avec le reste de beurre.

- Ajoutez les petits pois, la laitue et l'oseille dans le faitout et poursuivez la cuisson pendant encore 10 minutes.

- Versez le contenu du faitout dans une soupière et parsemez de cerfeuil au dernier moment.

- Servez très chaud, avec des tranches de pain grillées.

2 branches de céleri

2 carottes

1 poivron vert

1 oignon

150 g de beurre

30 g de farine

1 l de bouillon de volaille
(frais ou préparé avec une
tablette de concentré)

30 cl de bière blonde

250 g de gouda

1 pincée de piment

sel et poivre du moulin

soupe de légumes au gouda

- Effilez le céleri, épluchez les carottes. Coupez le poivron en quatre, épépinez-le et ôtez-en les filaments blancs. Coupez tous les légumes en petits morceaux. Pelez l'oignon, émincez-le.

- Faites fondre le beurre dans une cocotte, mettez-y la julienne de légumes et laissez-la prendre couleur.

- Poudrez de farine. Ajoutez peu à peu le bouillon de volaille et la bière. Salez, poivrez et mélangez bien.

- Faites cuire sur feu doux jusqu'à ce que la soupe épaississe.

- Pendant ce temps, coupez le fromage en petits dés. Ajoutez le fromage dans la cocotte et remuez jusqu'à ce qu'il soit fondu. Retirez du feu et ajoutez le piment.

- Goûtez et rectifiez l'assaisonnement si nécessaire.

- Versez la soupe dans une soupière et servez immédiatement.

POUR 8 PERSONNES

Trempage : 12 h
Préparation : 30 min
Cuisson : 2 h environ

Soupe au piston

500 g de haricots secs

1 bouquet garni

250 g de haricots verts

2 courgettes

2 carottes

2 navets

2 tomates

200 g de vermicelles

4 cuill. à soupe de basilic ciselé

5 gousses d'ail

huile d'olive

50 g de parmesan

sel et poivre du moulin

- Faites tremper les haricots en grains pendant 12 heures.
- Égouttez-les et mettez-les dans une marmite avec 2,5 l d'eau froide. Salez. Ajoutez le bouquet garni et portez à ébullition. Faites cuire pendant 1 h 30.
- Effilez les haricots verts. Coupez les courgettes en fines rondelles. Pelez les carottes et les navets. Coupez-les en petits dés.
- Ajoutez les carottes et les navets dans la marmite. Faites cuire pendant 20 minutes. Ajoutez les haricots verts et les courgettes. Poursuivez la cuisson 10 minutes.
- Pelez les tomates. Ajoutez-les dans la marmite avec les vermicelles. Poursuivez la cuisson 10 minutes.
- Pilez dans un mortier le basilic et les gousses d'ail pelées. Ajoutez 4 cuillerées à soupe d'huile d'olive en délayant.
- Versez ce condiment dans la soupe et poivrez. Remuez.
- Ajoutez le parmesan et servez.

soupe de légumes verts au pesto

POUR LE PESTO

3 gousses d'ail épluchées

1 poignée de feuilles de basilic

2 cuill. à soupe
de pignons de pin

50 g de parmesan
fraîchement râpé

3 cuill. à soupe d'huile d'olive

POUR LA SOUPE

1 oignon

2 poireaux

3 cuill. à soupe d'huile d'olive

1 pomme de terre

400 g de haricots blancs
en conserve, égouttés et rincés

1,5 l de bouillon de légumes
(frais ou préparé avec une
tablette de concentré)

2 courgettes

150 g de haricots verts

150 g de brocolis

250 g de cœurs d'artichaut cuits

1 cuill. à soupe
de persil plat haché

sel et poivre du moulin

- Préparez le pesto. Mixez l'ail, le basilic, les pignons et le parmesan dans le mixeur jusqu'à obtention d'une pâte homogène. Ajoutez l'huile et actionnez à nouveau l'appareil. Réservez.

- Préparez la soupe. Émincez l'oignon et les poireaux. Faites chauffer l'huile dans une grande casserole, ajoutez-les et laissez revenir à feu moyen pendant environ 3 minutes.

- Pelez et coupez la pomme de terre en dés, ajoutez-les ainsi que les haricots blancs et le bouillon. Salez et poivrez. Amenez à ébullition et laissez mijoter environ 15 minutes.

- Coupez les courgettes en dés, les haricots verts en tronçons, hachez le brocoli et ajoutez le tout ainsi que les cœurs d'artichaut. Laissez cuire encore 10 minutes.

- Enfin, ajoutez le persil haché et le pesto ; mélangez bien.

- Servez avec de la fougasse tiède.

Pour préparer cette soupe, vous pouvez utiliser du pesto tout prêt (5 ou 6 cuillerées à soupe environ).

POUR 4 À 6 PERSONNES

Préparation : 20 min
Cuisson : 1 h 40

2 carottes

1 petit navet

1 blanc de poireau

1 oignon

2 branches de céleri

60 g de beurre

1/8 de chou

1 pomme de terre

1 tasse de petits pois surgelés

cerfeuil

Potage de légumes

- Épluchez et coupez en gros dés les carottes, le navet, le blanc de poireau, l'oignon et le céleri.

- Faites fondre 30 g de beurre dans une casserole et ajoutez ces légumes. Laissez cuire 10 minutes à couvert et à feu doux. Ajoutez 1,5 l d'eau et portez à ébullition.

- Pendant ce temps, faites bouillir de l'eau dans une autre casserole. Coupez le chou en petits morceaux, ébouillantez-le pendant 3 ou 4 minutes, puis égouttez-le dans une passoire et rincez-le sous le robinet. Ajoutez le chou dans la casserole et laissez mijoter 1 heure.

- Épluchez et coupez la pomme de terre en dés, mettez-la dans le potage et faites cuire encore 25 minutes.

- Ajoutez les petits pois, de 12 à 15 minutes avant la fin de la cuisson.

- Au moment de servir, ajoutez les 30 g de beurre qui restent, mélangez puis parsemez de pluches de cerfeuil.

Ce potage peut aussi être servi avec des croûtons de pain.

POUR 6 PERSONNES

Préparation : 20 min

Cuisson : 45 min

300 g d'oignons

60 g de beurre

1 cuill. à soupe de farine

1,5 l de bouillon de volaille
(frais ou préparé avec une
tablette de concentré)

1 baguette de pain

150 g d'emmental râpé

sel et poivre du moulin

soupe à l'oignon gratinée

- Pelez les oignons et émincez-les. Faites-les blondir avec le beurre, à feu très doux. Poudrez-les de farine et prolongez la cuisson 3 minutes sans cesser de remuer.

- Préchauffez le four à 160 °C (therm. 5-6).

- Mouillez progressivement avec le bouillon, tout en continuant à remuer avec une cuillère en bois. Salez, poivrez. Faites cuire pendant 30 minutes à feu doux. Laissez réduire pour que la soupe ne soit pas trop liquide.

- Pendant ce temps, découpez la baguette en rondelles et faites-les dorer au four.

- Réglez le four à 260 °C (therm. 9).

- Versez la soupe dans une soupière allant au four ou dans des ramequins individuels. Posez le pain sur la soupe, parsemez de fromage, enfournez et laissez gratiner.

- Servez immédiatement.

Cette soupe était servie dans tous les bistrots des Halles à Paris, vers 3 ou 4 heures du matin. Les noctambules allaient la déguster après le spectacle.

POUR 4 À 6 PERSONNES

Préparation : 25 min
Cuisson : 45 min

1 kg d'oignons

800 g de tomates

2 cuill. à soupe d'huile d'olive

1 cuill. à café de ras al-hanout

1 cuill. à café de cumin

1 tablette de bouillon
de volaille

1 petite boîte de pois chiches

200 g de petits pois écossés
(frais ou surgelés)

sel et poivre du moulin

soupe à l'oignon à la marocaine

- Épluchez les oignons puis émincez-les.

- Portez une grande quantité d'eau à ébullition dans une casserole. Plongez-y les tomates quelques secondes, rafraîchissez-les puis pelez-les avant de les couper en morceaux.

- Faites chauffer l'huile d'olive dans une grande casserole et faites-y suer les oignons émincés pendant 2 ou 3 minutes en remuant. Ajoutez le ras al-hanout et le cumin puis incorporez les tomates. Émiettez la tablette de bouillon au-dessus de la casserole, salez, poivrez puis versez 1,2 l d'eau. Portez à ébullition puis baissez le feu et laissez mijoter 30 minutes.

- Égouttez les pois chiches puis ajoutez-les dans la casserole avec les petits pois. Remuez puis laissez cuire encore 15 minutes à petit feu.

Si vous aimez les saveurs sucré-salé, ajoutez quelques raisins secs.

POUR 4 PERSONNES

Préparation : 15 min
Cuisson : 35 min

300 g de jeunes
pousses d'ortie

150 g de pommes de terre
bintje

1 petit oignon

1 cuill. à soupe d'huile de maïs

2 cuill. à soupe
de lait écrémé en poudre

sel et poivre du moulin

Velouté à l'ortie

- Lavez les feuilles d'ortie et hachez-les grossièrement au couteau. Pelez et lavez les pommes de terre, coupez-les en dés. Pelez et hachez finement l'oignon.

- Mettez l'huile à chauffer doucement dans une casserole, ajoutez les feuilles d'ortie, les dés de pomme de terre et le hachis d'oignon, couvrez et faites étuver à feu doux pendant 10 minutes environ en remuant de temps en temps avec une cuillère en bois.

- Versez 1 l d'eau, salez et poivrez, portez à ébullition et faites cuire à petits bouillons pendant 25 minutes. Mixez pour obtenir une purée lisse et homogène, en rajoutant éventuellement un peu d'eau bouillante si celle-ci est trop épaisse, puis passez au chinois.

- Ajoutez le lait écrémé et mixez à nouveau pendant 20 secondes. Goûtez, rectifiez l'assaisonnement et versez dans une soupière ou des bols chauds.

- Servez aussitôt avec des croûtons de pain grillé.

POUR 4 PERSONNES

Préparation : 15 min

Cuisson : 40 min

250 g de panais

250 g de patates douces

1 pomme de terre farineuse

20 g de beurre

1 oignon

1 l de bouillon de volaille
(frais ou préparé avec une
tablette de concentré)

~~2 jaunes d'œufs~~

~~20 cl de crème fraîche épaisse~~

muscade râpée

quelques brins de ciboulette

sel et poivre du moulin

Velouté de panais et de patate douce à la crème

- Épluchez les panais, les patates douces et la pomme de terre. Lavez-les et coupez-les en cubes.

- Faites fondre le beurre dans une grande casserole. Ajoutez l'oignon haché et faites-le revenir, sans coloration, 5 minutes. Ajoutez les légumes préparés et laissez cuire à feu moyen en remuant pendant 5 minutes.

- Faites chauffer le bouillon et versez-le dans la casserole. Salez très peu, poivrez, portez à ébullition, puis laissez mijoter pendant 30 minutes environ.

- Passez la soupe au moulin à légumes grille fine. Portez-la à nouveau à ébullition.

- Baissez le feu, incorporez les jaunes mélangés à la crème et à une pincée de muscade. Remuez sur feu doux, et sans faire bouillir, pendant 3 minutes. Rectifiez l'assaisonnement au besoin et servez le velouté très chaud. Au dernier moment, parsemez de brins de ciboulette finement ciselés.

La patate douce peut être remplacée par deux poires conférence pelées et épépinées.

44

500 g de panais

4 carottes

1 poireau

10 g de beurre

1 cuill. à soupe d'huile

1 cuill. à café
de graines de coriandre

2 cuill. à soupe
de crème fraîche

sel et poivre du moulin

soupe de panais et carotte à la coriandre

- Pelez les panais et les carottes, rincez-les sous l'eau fraîche puis détaillez-les en dés.

- Épluchez le poireau, nettoyez-le soigneusement puis émincez-le.

- Faites chauffer le beurre et l'huile dans une grande casserole puis faites suer le poireau émincé. Ajoutez les dés de carotte et de panais, les graines de coriandre grossièrement concassées et mélangez bien. Recouvrez d'eau, salez, poivrez et portez à ébullition. Baissez le feu et laissez mijoter une trentaine de minutes.

- Mixez grossièrement (il doit rester des morceaux) en incorporant la crème et servez très chaud.

Il n'est pas indispensable de peler le panais, vous pouvez simplement le gratter sous l'eau fraîche.

Préparation : 20 min
Cuisson : 20 à 25 min

1 pomme de terre

1 botte de radis

1 poireau

25 g de beurre

1 cuill. à soupe d'huile

300 g de petits pois écossés
(frais ou surgelés)

1 tablette de bouillon de volaille

1 petit bouquet de cerfeuil

10 cl de crème fraîche liquide

sel et poivre du moulin

Crème de petits pois

● Épluchez la pomme de terre, lavez-la et coupez-la en morceaux. Lavez et essorez les fanes de la botte de radis (gardez les radis pour une autre utilisation). Épluchez le poireau, lavez-le puis émincez-le.

● Faites chauffer le beurre et l'huile dans une cocotte et faites suer le poireau émincé en remuant. Ajoutez les fanes de radis et laissez cuire encore 1 minute. Mettez enfin les morceaux de pomme de terre, les petits pois et les fanes de radis puis émiettez la tablette de bouillon de volaille.

● Couvrez d'eau et portez à ébullition. Salez, poivrez, ajoutez quelques pluches de cerfeuil, baissez le feu et laissez mijoter de 20 à 25 minutes, jusqu'à ce que les légumes soient tendres. À l'aide d'une écumoire, retirez quelques petits pois et réservez-les pour la décoration.

● Mixez en ajoutant le reste de cerfeuil (gardez quelques pluches pour la décoration) et en incorporant la crème petit à petit, puis passez le tout pour retirer les peaux. Répartissez la crème de petits pois dans les assiettes puis décorez avec les petits pois et le cerfeuil réservés.

Pour enrichir cette crème, vous pouvez déposer dans chaque assiette un œuf poché ou des lamelles de bacon légèrement grillées.

POUR 4 PERSONNES

Préparation : 15 min

Cuisson : 40 min

2 ciboules avec le vert

1 petit cœur de laitue

30 g de beurre

450 g de petits pois frais
ou décongelés

1,2 l de bouillon de volaille
(frais ou préparé avec une
tablette de concentré)

20 cl de crème fraîche

120 g de feta

10 feuilles de menthe fraîche

sel et poivre du moulin

Velouté de petits pois à la feta

- Pelez et hachez les ciboules. Effeuillez et lavez la laitue. Épongez-la et coupez-la en lanières. Faites fondre le beurre dans une cocotte. Mettez-y les ciboules à revenir pendant 5 minutes, puis ajoutez la laitue. Couvrez et laissez étuver 10 minutes sur feu moyen.

- Ajoutez les petits pois et le bouillon et couvrez à nouveau en laissant passer un filet d'air. Laissez frémir pendant 25 minutes. Passez le contenu de la cocotte au moulin à légumes grille fine.

- Reversez la soupe dans une casserole. Ajoutez 10 cl de crème fraîche et la menthe ciselée. Émulsionnez au mixer plongeant.

- Répartissez le velouté dans des bols. Écrasez la feta avec le reste de crème. Versez-la dans la soupe et étirez-la en formant des cercles avec la pointe d'une cuillère.

Gardez quelques petits pois entiers et parsemez-en la soupe au moment de servir, ou bien ajoutez des croûtons frits à l'huile.

Préparation : 10 min
Cuisson : 15 min

1 tablette de bouillon
de volaille

1 cuill. à café
de curry en poudre

40 cl de lait de coco

200 g de petits pois surgelés

50 g de vermicelles
de riz ou de soja

1 petite boîte
de germes de soja (90 g net)

quelques feuilles
de coriandre fraîche

sel et poivre du moulin

Soupe asiatique aux petits pois

- Émiettez la tablette de bouillon de volaille dans une casserole. Ajoutez le curry, le lait de coco et 70 cl d'eau. Salez et poivrez. Faites chauffer.

- Lorsque le mélange bout, ajoutez les petits pois, réduisez le feu, puis laissez mijoter pendant 5 minutes. Pendant ce temps, déposez les vermicelles de riz dans un saladier et arrosez-les d'eau bouillante. Laissez reposer 5 minutes, puis égouttez-les, coupez-les en morceaux et incorporez-les dans le bouillon.

- Rincez les germes de soja, égouttez-les, ajoutez-les dans la casserole et laissez mijoter pendant 5 minutes. Versez la soupe dans des bols et parsemez de coriandre fraîche ciselée.

Faites de cette soupe un plat complet en ajoutant des cubes de tofu, des petits épis de maïs ou des crevettes.

POUR 4 PERSONNES

Préparation : 15 min
Cuisson : 30 min

4 ou 5 poireaux

2 pommes de terre

2 pommes

1 citron

1 tablette de bouillon de volaille

sel et poivre du moulin

Velouté de poireau acidulé

- Épluchez les poireaux, lavez-les soigneusement puis coupez-les en tronçons. Pelez les pommes de terre, rincez-les et coupez-les en morceaux. Épluchez les pommes et détaillez-les en quartiers.

- Coupez l'un des quartiers en petits dés et réservez-les pour la décoration. Arrosez-les de jus de citron pour éviter qu'ils ne noircissent.

- Déposez les poireaux, les morceaux de pomme de terre et les quartiers de pomme dans une grande casserole.

- Émiettez la tablette de bouillon au-dessus des légumes, salez, poivrez et recouvrez d'eau (au moins 1 l). Portez à ébullition puis laissez mijoter environ 30 minutes avant de mixer.

- Répartissez le potage dans les assiettes et décorez avec les dés de pomme réservés.

Vous pouvez réaliser cette recette avec des poires.

POUR 6 PERSONNES

Préparation : 20 min
Cuisson : 30 min environ

2 bouquets de cerfeuil

3 blancs de poireau

40 g de beurre

2 oignons fanes

1 gousse d'ail

3 pommes de terre farineuses

1,5 l de bouillon de volaille
(frais ou préparé avec une
tablette de concentré)

2 jaunes d'œufs

15 cl de crème liquide

1 pincée de safran en poudre

sel et poivre du moulin

Crème de poireau safranée au cerfeuil

- Lavez et épongez le cerfeuil. Détachez les feuilles en pluches et hachez les queues. Coupez la base des blancs de poireau et retirez les feuilles ligneuses. Lavez les poireaux. Émincez-les en fines rondelles.

- Faites fondre le beurre dans une casserole. Ajoutez les oignons hachés, la gousse d'ail écrasée et les poireaux. Faites fondre pendant 5 minutes en remuant sans les laisser colorer. Pelez les pommes de terre, lavez-les et coupez-les en dés.

- Ajoutez les dés de pomme de terre, les queues de cerfeuil et un tiers des pluches dans la casserole. Remuez pendant 2 ou 3 minutes sur feu doux, puis versez le bouillon. Salez et poivrez et poursuivez la cuisson sur feu moyen.

- Au bout de 30 minutes environ, passez le contenu de la casserole au moulin à légumes. Remettez le potage dans la casserole sur feu doux.

- Dans un bol, délayez les jaunes d'œufs avec 10 cl de crème liquide et le safran. En remuant, ajoutez 3 cuillerées à soupe de potage chaud. Versez ce mélange dans la casserole et liez en remuant sur feu doux sans laisser bouillir.

- Versez dans une soupière. Ajoutez le reste de crème et de pluches de cerfeuil frais. Servez aussitôt.

Déposez sur la soupe une cuillerée de crème fraîche fouettée et quelques œufs de saumon, ou bien des moules.

POUR 4 À 6 PERSONNES

Préparation : 20 min

Cuisson : 35 min

600 g de potimarron

2 carottes

1 poireau

1 cuill. à soupe d'huile

150 g de châtaignes cuites
(en conserve ou sous vide)

sel et poivre du moulin

Crème de potimarron aux châtaignes

- Ôtez la peau du potimarron puis détaillez-le en cubes. Pelez les carottes, rincez-les et coupez-les en rondelles. Épluchez le poireau, lavez-le puis émincez-le finement.

- Faites chauffer l'huile dans une marmite, puis faites suer le poireau émincé. Ajoutez les cubes de potimarron et les carottes, salez, poivrez, recouvrez d'eau et portez à ébullition.

- Baissez le feu et laissez cuire pendant 20 minutes à petit feu. Incorporez les châtaignes (gardez-en quelques-unes pour la décoration) et poursuivez la cuisson une quinzaine de minutes jusqu'à ce que les légumes soient bien tendres.

- Mixez ou passez au blender. Versez le velouté dans chaque assiette, et décorez avec les châtaignes réservées.

Vous pouvez réaliser cette recette avec du potiron, et mixer les légumes en incorporant 10 cl de crème liquide.

2 kg de potiron

1 l de lait

2 cuill. à soupe
de sucre en poudre

3 branches de persil

30 g de beurre

sel

Soupe de potiron comme aux États-Unis

- Épluchez le potiron. Retirez les graines et la partie fibreuse. Coupez la chair en morceaux. Faites cuire ceux-ci 20 minutes dans une grande casserole d'eau bouillante salée.
- Égouttez le potiron et réduisez-le en purée.
- Portez le lait à ébullition dans une casserole. Versez-y la purée de potiron. Sucrez et salez. Baissez le feu et prolongez la cuisson à feu moyen pendant 25 minutes.
- Lavez et hachez le persil. Versez la soupe dans une soupière, parsemez de noisettes de beurre et du persil.
- Servez chaud.

Vous pouvez parfumer cette soupe avec des dés de bacon poêlés.

POUR 6 PERSONNES

Préparation : 30 min
Réfrigération : 30 min
Prise en sorbetière : 30 min
Cuisson : 35 min

800 g de potiron

2 oignons

1 cuill. à soupe d'huile d'olive

20 cl de lait écrémé

1 pincée de curry

sel et poivre du moulin

POUR LE SORBET

2 cuill. à soupe
de sucre en poudre

500 g de fromage blanc
à 20 % MG

6 feuilles de basilic

2 brins de persil

6 brins de ciboulette

Soupe de potiron, sorbet aux herbes

- Préparez le sorbet. Dans une casserole, mélangez le sucre en poudre et 3 cuillerées à soupe d'eau. Portez à ébullition 2 ou 3 minutes. Laissez refroidir le sirop, puis incorporez-le au fromage blanc et placez la préparation au réfrigérateur. Lavez les herbes, séchez-les sur du papier absorbant. Ciselez-les et réservez. Après 30 minutes de réfrigération, versez la préparation dans une sorbetière. Quand la glace commence à prendre, ajoutez les herbes et laissez turbiner encore 15 minutes. Conservez le sorbet au congélateur.

- Préparez la soupe. Épluchez le potiron, ôtez les graines et les fibres. Pelez les oignons. Coupez-les en morceaux avec le potiron. Versez l'huile dans une marmite, ajoutez les légumes préparés et faites-les revenir pendant 3 minutes. Versez 40 cl d'eau, le lait puis assaisonnez de sel, de poivre et de curry. Laissez cuire à couvert pendant 30 minutes, à feu doux, puis mixez.

- Sortez le sorbet du congélateur au moins 15 minutes avant de déguster le potage.

- Servez le potage tiède dans des assiettes creuses, après y avoir déposé une quenelle de sorbet.

Velouté à la tomate

1 kg de tomates mûres

2 oignons

1 gousse d'ail

30 g de beurre

4 cuill. à soupe
de fécule de maïs

1 cuill. à café
de sucre en poudre

10 cl de crème fraîche épaisse

3 brins de cerfeuil

piment d'Espelette

150 g de chèvre frais

sel et poivre du moulin

- Lavez les tomates, coupez-les en quartiers et retirez les graines. Pelez et hachez les oignons et l'ail. Faites fondre 15 g de beurre dans une casserole et mettez-y les oignons.

- Remuez les oignons sur feu doux. Quand ils sont transparents, ajoutez l'ail et les tomates avec le reste de beurre.

- Remuez sur feu doux pendant 5 minutes, puis versez 1,5 l d'eau. Laissez cuire pendant 20 minutes à petits bouillons.

- Passez le contenu de la casserole et versez à nouveau le potage obtenu dans la casserole. Ajoutez la fécule délayée dans un peu d'eau froide avec 1 cuillerée à café de sucre. Portez à ébullition en remuant. Hors du feu, incorporez la crème fraîche. Salez et poivrez et ajoutez plusieurs pincées de piment.

- Versez le potage bien chaud dans une soupière. Parsemez de miettes de chèvre frais et de pluches de cerfeuil.

- Servez aussitôt.

Cette soupe est également délicieuse avec du caillé de brebis en remplacement du chèvre frais.

POUR 4 PERSONNES

Préparation : 10 min
Cuisson : 10 min

soupe aux tortillas

4 tortillas toutes prêtes

1 petit oignon

1 gousse d'ail

40 g de fromage de chèvre sec

2 tomates

2 branches de coriandre fraîche

3 cuill. à soupe d'huile

1 l de bouillon de volaille
(frais ou préparé avec une
tablette de concentré)

sel et poivre du moulin

- Coupez les tortillas froides en morceaux. Pelez et émincez l'oignon. Pelez et hachez l'ail. Râpez le chèvre avec une râpe fine. Plongez les tomates 1 minute dans de l'eau bouillante, pelez-les, épépinez-les puis concassez-les. Lavez, égouttez et ciselez la coriandre.

- Faites frire les morceaux de tortilla dans 2 cuillerées à soupe d'huile, jusqu'à ce qu'ils deviennent croquants. Égouttez-les sur un papier absorbant.

- Dans une cocotte, faites revenir dans le reste d'huile l'ail, l'oignon et les tomates. Arrosez avec le bouillon et portez à ébullition. Salez, poivrez et prolongez la cuisson à gros bouillons pendant 10 minutes. Mélangez.

- Versez dans une soupière. Parsemez de fromage et de coriandre ciselée et déposez les tortillas à la surface.

- Servez immédiatement.

8 tomates

1 poivron rouge

1 poivron vert

150 g de concombre

1 oignon

2 gousses d'ail

1 cuill. à soupe
de concentré de tomate

1 cuill. à soupe de câpres

1 brin de thym frais

2 cuill. à soupe de vinaigre

10 feuilles d'estragon

1 citron

3 cuill. à soupe d'huile d'olive

Gaspacho

- Faites bouillir de l'eau dans une casserole, plongez-y les tomates, retirez-les aussitôt. Pelez-les et épépinez-les, puis taillez-les en dés. Faites de même avec les poivrons.

- Épluchez le concombre et taillez-les en cubes. Épluchez et hachez l'oignon et l'ail.

- Réunissez ces légumes dans un saladier, ajoutez le concentré de tomate, les câpres égouttées, le thym effeuillé et le vinaigre.

- Versez 1 l d'eau froide dans le saladier et passez toute la préparation au mixeur ou au moulin à légumes grille fine.

- Ciselez l'estragon, pressez le citron et ajoutez l'estragon et le jus de citron dans le saladier ainsi que l'huile d'olive. Mélangez.

- Mettez le gaspacho au réfrigérateur pendant au moins 2 heures avant de le servir dans des assiettes creuses bien froides.

Soupe de congre

1 l de bouillon de volaille
(frais ou préparé avec une
tablette de concentré)

1 branche de céleri

1 bouquet garni

1 morceau de congre de 1 kg

3 oignons

4 tomates

4 pommes de terre

30 g de beurre

1 cuill. à café
de vinaigre de xérès

sel et poivre du moulin

- Dans un faitout, versez le bouillon. Ajoutez la branche de céleri et le bouquet garni. Salez et poivrez ; faites chauffer. À l'ébullition, ajoutez le congre et faites cuire entre 25 et 30 minutes.

- Retirez le poisson du bouillon, réservez ce dernier. Retirez la peau et les arêtes du congre et séparez la chair.

- Pelez et hachez finement les oignons.

- Plongez les tomates 1 minute dans de l'eau bouillante, pelez-les, épépinez-les, concassez-les.

- Faites cuire les pommes de terre 20 minutes à l'eau salée. Elles ne doivent pas être totalement cuites. Pelez-les et coupez-les en rondelles.

- Dans une cocotte, faites fondre le beurre. Dorez-y les oignons 2 minutes. Ajoutez les tomates et faites cuire 5 minutes.

- Filtrez le bouillon, versez-le dans la cocotte. Salez, poivrez, poursuivez la cuisson 5 minutes dès la reprise de l'ébullition.

- Ajoutez les pommes de terre, le poisson et le vinaigre. Laissez cuire encore 10 minutes.

- Servez.

soupe de brochet

4 champignons parfumés secs

300 g de brochet

1 petit morceau
de gingembre frais

3 tomates

1 l de bouillon de volaille
(frais ou préparé avec une
tablette de concentré)

fécule de maïs

3 cuill. à soupe de vin blanc sec

1 cuill. à café d'huile de sésame

sel et poivre du moulin

- Faites tremper les champignons 30 minutes dans de l'eau tiède.
- Coupez le brochet en morceaux. Mettez ceux-ci dans une casserole d'eau et faites-les cuire 5 minutes dans l'eau frémissante.
- Égouttez-les. Enlevez la peau et les arêtes. Mettez la chair dans le bol d'un mixer. Mixez pour obtenir une purée.
- Pelez et râpez le gingembre. Plongez les tomates 1 minute dans de l'eau bouillante, pelez-les, coupez-les en morceaux. Égouttez les champignons, retirez les pieds et émincez les têtes.
- Dans une casserole, amenez à ébullition le bouillon de volaille. Ajoutez la purée de poisson, le gingembre, les champignons et les tomates. Salez et poivrez. Mélangez et prolongez la cuisson pendant 5 minutes. Délayez la fécule de maïs dans le vin blanc et versez-la dans la casserole.
- Baissez le feu et poursuivez la cuisson 3 minutes en remuant pour que la soupe épaississe un peu.
- Arrosez d'huile de sésame, remuez et servez dans une soupière.

Bouillabaisse

2 kg de poissons variés
(murène, congre, grondin,
merlan, baudroie, rascasse,
girelle, saint-pierre, vive, etc.)

2 oignons

3 gousses d'ail

2 petits poireaux

3 ou 4 belles tomates

1 baguette de pain

1 branche de fenouil

1 feuille de laurier

1 morceau d'écorce d'orange

1 brin de thym

2 bonnes pincées de safran

0,5 l de moules (facultatif)

10 cl d'huile d'olive

sel et poivre du moulin

POUR LA ROUILLE

2 ou 3 gousses d'ail

2 ou 3 piments rouges

2 tasses de mie de pain

1 pomme de terre cuite

1 pincée de pistils de safran

3 cuill. à soupe d'huile d'olive

- Nettoyez, écaillez, étêtez tous les poissons. Coupez-les en gros morceaux, laissez les petits entiers. Mettez 3 l d'eau à bouillir. Épluchez et hachez les oignons et l'ail, émincez les poireaux. Mondez et concassez les tomates. Coupez la baguette en tranches de 1 cm et faites-les sécher au four à 180 °C (therm. 6), sans les griller.

- Dans une grande marmite, mettez les oignons, l'ail, les poireaux, les tomates, tous les aromates, le safran, du sel et du poivre. Ajoutez les poissons fermes (congre, murène, baudroie, rascasse) et les moules. Versez l'huile et tournez la marmite dans tous les sens, plusieurs fois, pour que tout se mélange et que les poissons s'imprègnent bien des parfums. Versez alors l'eau bouillante et mettez la marmite sur un feu très vif : une violente et brève ébullition doit mêler l'huile et l'eau. Baissez alors la flamme.

- Au bout de 5 ou 6 minutes, ajoutez les poissons tendres (girelle, merlan, saint-pierre). Laissez frémir pendant 5 ou 6 minutes. Rectifiez l'assaisonnement, qui doit être bien relevé.

- Préparez la rouille. Épluchez et hachez les gousses d'ail. Hachez également les piments. Mettez les deux hachis dans un mortier, salez puis pilez bien le mélange. Prélevez un peu de bouillon chaud, trempez-en la mie de pain et ajoutez-la au contenu du mortier ainsi que la pomme de terre écrasée et le safran. Mélangez avec soin ; vous devez obtenir une pâte épaisse. Incorporez alors l'huile d'olive.

- Mettez les tranches de pain dans la soupière et versez la bouillabaisse par-dessus. Servez avec la rouille.

1,2 à 1,5 kg de queue de lotte

1 blanc de poireau

2 oignons

2 carottes

1 tomate

3 brins de persil

6 gousses d'ail

40 cl d'huile d'olive

25 cl de vin blanc

1 jaune d'œuf

sel et poivre du moulin

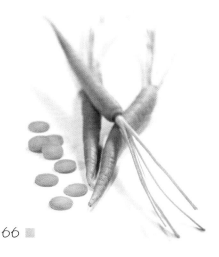

Bourride sétoise

- Enlevez la peau de la lotte. Coupez la chair en grosses tranches en gardant l'os central. Épluchez et détaillez en rondelles le blanc de poireau, les oignons et les carottes. Mondez la tomate et coupez-la en morceaux. Hachez le persil. Pelez toutes les gousses d'ail et hachez 2 d'entre elles.

- Dans une cocotte, faites fondre à feu doux le poireau, les oignons, les carottes et la tomate avec 2 cuillerées d'huile. Ajoutez le persil et l'ail hachés. Mélangez puis versez 25 cl d'eau, salez et poivrez. Couvrez et laissez cuire 15 minutes en remuant souvent. Puis ajoutez le vin.

- Dans une poêle, faites chauffer 2 cuillerées d'huile. Salez les tronçons de lotte et faites-les cuire à feu doux pendant 3 ou 4 minutes de chaque côté. Égouttez-les et recueillez l'eau qu'ils ont rendue.

- Écrasez les légumes de la cocotte ou passez-les au moulin à légumes. Remettez la cocotte sur le feu et ajoutez le poisson, puis l'eau rendue. Baissez le feu et laissez mijoter à couvert de 10 à 15 minutes.

- Préparez un aïoli. Dans un mortier, pilez l'ail restant avec 1 pincée de sel. Ajoutez le jaune d'œuf et mélangez environ 2 minutes. Laissez reposer pendant 5 minutes. Versez l'huile peu à peu, en tournant avec une cuillère toujours dans le même sens comme pour une mayonnaise. Poivrez légèrement.

- Égouttez les morceaux de poisson, mettez-les dans le plat de service et gardez au chaud. Rectifiez l'assaisonnement de la sauce et faites-la réduire un peu si elle est trop longue. Retirez du feu et ajoutez l'aïoli en fouettant vivement. Nappez le poisson de cette sauce et servez.

1 l de fumet de poisson
(frais ou préparé avec une base
de produit déshydraté)

50 g de beurre

50 g de farine

500 g de filets de cabillaud
ou d'un autre poisson
frais ou surgelé

3 jaunes d'œufs

10 cl de crème fraîche

cerfeuil

sel et poivre du moulin

Velouté de poisson

- Préparez le fumet de poisson.

- Dans une casserole, faites fondre le beurre à feu moyen. Ajoutez la farine et laissez cuire quelques instants en remuant sans arrêt. Versez le fumet peu à peu tout en mélangeant. Ajoutez les filets de poisson et faites cuire à feu doux pendant 15 à 20 minutes.

- Mixez le tout (ou passez au moulin à légumes) et passez ensuite dans une passoire fine. Portez de nouveau à légère ébullition.

- Dans un bol, mélangez les jaunes d'œufs et la crème fraîche. Hors du feu, versez ce mélange dans le velouté, puis remettez-le sur feu doux et remuez bien sans laisser bouillir.

- Rectifiez l'assaisonnement. Parsemez de quelques pluches de cerfeuil au moment de servir.

POUR 4 PERSONNES

Préparation : 15 min
Marinade : 1 h
Cuisson : 1 h environ

400 g de saumon fumé

1 cuill. à soupe d'huile

1 carotte moyenne

1 gousse d'ail

1 petite branche de céleri

200 g de lentilles vertes du Puy

10 cl de crème liquide

4 petites feuilles de céleri

sel et poivre du moulin

Crème de lentilles au saumon fumé

- Coupez le saumon en bâtonnets d'environ 1 cm de côté. Enduisez ceux-ci d'huile avec un pinceau, salez, poivrez et laissez mariner 1 heure au réfrigérateur.

- Grattez la carotte et coupez-la en rondelles. Pelez et dégermez l'ail. Lavez la branche de céleri.

- Mettez les lentilles, la carotte, l'ail et le céleri dans un petit faitout avec 1 l d'eau, du sel et du poivre. Portez à ébullition puis baissez le feu, couvrez et laissez cuire doucement pendant environ 1 heure, jusqu'à ce que les lentilles soient bien tendres.

- Réservez 4 cuillerées à soupe de lentilles pour le décor. Mixez le reste pendant 2 ou 3 minutes avec le jus de cuisson pour obtenir une purée bien lisse. Ajoutez la crème, rectifiez l'assaisonnement et réchauffez à feu doux.

- Répartissez les bâtonnets de saumon dans 4 bols et versez la crème de lentille très chaude dessus. Décorez chaque bol avec quelques lentilles, 1 feuille de céleri et servez très chaud.

Préparation : 20 min

Cuisson : 20 min

3 petites courgettes

1 poireau

10 g de beurre

1 cuill. à soupe d'huile

1 poignée de petits pois
écossés

1 pincée de curry (facultatif)

1 cuill. à café
de graines de coriandre

1 tablette de bouillon de volaille

16 grosses crevettes

1 petit bouquet de coriandre
fraîche

sel et poivre du moulin

Soupe de crevettes aux courgettes et à la coriandre

- Ôtez les pédoncules des courgettes, coupez-les en tronçons puis recoupez-les pour obtenir de fins bâtonnets. Épluchez le poireau et émincez-le finement.

- Faites chauffer le beurre et l'huile dans une casserole puis faites-y revenir le poireau émincé. Ajoutez les courgettes, les petits pois, le curry et les graines de coriandre concassées et poursuivez la cuisson pendant 5 minutes en remuant.

- Faites dissoudre la tablette de bouillon dans environ 1 litre d'eau frémissante. Versez dans la casserole, salez, poivrez et portez à ébullition puis laissez frémir 10 minutes.

- Pendant ce temps, décortiquez les crevettes en ôtant la veine noire au milieu. Plongez-les dans la casserole et laissez-les cuire 2 minutes à petit feu, jusqu'à ce que les crevettes soient chaudes.

- Juste avant de servir, parsemez de coriandre fraîche ciselée.

Vous pouvez remplacer les courgettes par des concombres.

100 g de vermicelles de riz

1 oignon

1 petit bouquet de coriandre

50 g de germes de soja

200 g de crevettes roses

1 cuill. à soupe d'huile

80 cl de bouillon de volaille
(frais ou préparé avec une
tablette de concentré)

2 cuill. à soupe de nuoc-mâm

poivre blanc

Soupe de légumes aux crevettes

- Faites tremper les vermicelles 15 minutes environ dans de l'eau froide. Égouttez-les et coupez-les en morceaux.

- Pelez et émincez l'oignon. Lavez et ciselez la coriandre. Mettez les germes de soja dans une passoire. Rincez-les sous l'eau courante et égouttez-les.

- Décortiquez les crevettes et retirez le filament noir sur le dessus.

- Faites chauffer l'huile dans une casserole. Faites-y dorer l'oignon 2 minutes en remuant. Ajoutez les crevettes en les retournant vivement pour les enrober d'huile.

- Arrosez de bouillon. Poivrez et amenez à ébullition. Faites cuire 10 minutes à couvert.

- Plongez-y les germes de soja et les vermicelles. Assaisonnez de nuoc-mâm et poursuivez la cuisson pendant 2 minutes en remuant.

- Transvasez la soupe dans une soupière, parsemez de coriandre, puis servez.

Crème de langoustine au vin blanc

1 oignon

1 carotte

2 branches de céleri

125 g de beurre

12 belles langoustines crues

1 petit verre de cognac

1 petit bouquet garni (thym, laurier, queues de persil)

25 cl de vin blanc sec

1 l de fumet de poisson (frais ou préparé avec une base de produit déshydraté) ou de court-bouillon bien relevé

1 cuill. à soupe de concentré de tomate

2 cuill. à soupe rase de fécule de maïs

15 cl de crème fraîche

2 branches de cerfeuil

sel et poivre de Cayenne

- Pelez l'oignon et la carotte. Hachez-les menu. Effeuillez puis émincez les côtes de céleri en rondelles.

- Faites fondre 40 g de beurre dans une casserole. Mettez-y les langoustines à cuire sur feu vif pendant 4 minutes. Réservez 4 langoustines entières pour la finition. Décortiquez les autres. Réservez la chair des queues en les gardant entières. Pilez les carapaces avec les têtes et les pinces.

- Remettez les langoustines pilées dans la casserole. Remuez pendant 3 minutes sur feu vif, puis arrosez de cognac tiédi dans une petite casserole et flambez.

- Ajoutez le céleri et le bouquet garni dans la casserole. Laissez fondre doucement en remuant pendant 5 minutes. Versez ensuite le vin, le fumet de poisson et le concentré de tomate dans la casserole, et portez à ébullition. Baissez le feu et laissez cuire pendant 20 minutes.

- Passez la soupe au chinois en foulant les ingrédients avec le dos d'une louche et recueillez tout le liquide. Remettez-le sur le feu en incorporant la fécule délayée dans la crème fraîche, puis, en fouettant sans cesse, incorporez le reste de beurre coupé en morceaux. Rectifiez l'assaisonnement.

- Répartissez la crème de langoustine dans des assiettes creuses chaudes. Ajoutez les queues décortiquées et le cerfeuil. Décorez d'une langoustine entière et servez.

Soupe au crabe

1 citron

quelques brins de ciboulette

1 bouquet de coriandre fraîche

1 gousse d'ail

1 échalote

1 cuill. à soupe d'huile

1 cuill. à soupe de fécule de riz

80 cl de bouillon de volaille
(frais ou préparé avec une
tablette de concentré)

200 g de chair de crabe

2 cuill. à soupe de nuoc-mâm

1 grosse pincée
de piment en poudre

1 œuf

- Pressez le citron. Lavez, épongez et ciselez les brins de ciboulette et le bouquet de coriandre. Pelez et hachez finement l'ail et l'échalote.

- Dans une cocotte, faites chauffer l'huile. Faites-y revenir l'ail et l'échalote pendant 2 minutes en les remuant.

- Délayez la fécule de riz dans un peu d'eau froide. Versez-la dans la cocotte avec le bouillon et le jus du citron. Portez à ébullition en tournant.

- Émiettez la chair de crabe et ajoutez-la à la soupe. Assaisonnez de nuoc-mâm en continuant de tourner. Pimentez. Faites cuire pendant 10 minutes, puis retirez la casserole du feu.

- Battez l'œuf à la fourchette et incorporez-le à la soupe en tournant. Versez la soupe dans une soupière, parsemez de ciboulette et de coriandre, et servez.

2,5 kg de pétoncles

40 cl de fumet de poisson
(frais ou préparé avec une base
de produit déshydraté)

2 citrons

400 g de carottes

1 poireau

1 tête de céleri-rave de 300 g

quelques tiges de ciboulette

20 cl de vin blanc sec

4 branches de thym citron

1 tomate

10 cl de crème fraîche

pluches de cerfeuil

sel et poivre du moulin

Soupe de pétoncles au thym citron

- Demandez au poissonnier de décoquiller les pétoncles.

- Si vous n'utilisez pas un produit déshydraté du commerce, préparez d'abord le court-bouillon et laissez-le refroidir.

- Rincez les pétoncles à l'eau fraîche et épongez-les avec du papier absorbant.

- Pressez le jus de l'un des citrons. Épluchez et rincez les carottes, le poireau et le céleri-rave. Coupez-les en petits dés en même temps que la pulpe de l'autre citron. Mettez les dés de citron de côté. Rincez et ciselez la ciboulette.

- Versez dans une casserole le fumet et le vin blanc, ajoutez le thym citron et le jus de l'autre citron.

- Portez le mélange à ébullition et faites-y cuire les dés de légumes pendant 10 minutes.

- Faites chauffer quatre assiettes creuses dans le four à 60 °C (therm. 2).

- Rincez et essuyez la tomate. Coupez-la en très fines lanières.

- Plongez délicatement les noix de pétoncle dans le bouillon de cuisson des légumes et ajoutez la crème fraîche. Aux premiers bouillons, faites cuire pendant 1 minute (trop cuites, les pétoncles deviendraient dures). Goûtez et rectifiez l'assaisonnement.

- Hors du feu, incorporez la ciboulette ciselée et les dés de citron. Versez la soupe dans les assiettes chaudes, décorez de pluches de cerfeuil et de lanières de tomate et servez aussitôt.

POUR 4 PERSONNES

Préparation : 30 min
Cuisson : 30 min

Soupe de calmar en sauce tomate

800 g d'anneaux de calmar

2 échalotes

1 carotte

1 petit oignon

2 cuill. à soupe d'huile d'olive

250 g de pulpe de tomate
en dés (en conserve)

1 cuill. à soupe
de concentré de tomate

15 cl de vin blanc sec

2 gousses d'ail

1 bouquet garni

1 pointe de piment de Cayenne
en poudre

1/2 baguette de pain

beurre

2 pommes de terre moyennes

sel et poivre du moulin

- Rincez les calmars à l'eau fraîche et épongez-les soigneusement avec du papier absorbant. Épluchez les échalotes, la carotte et l'oignon. Coupez-les en petits dés. Faites chauffer l'huile à feu doux dans une petite cocotte, ajoutez les dés de légumes et laissez cuire doucement 10 minutes environ, jusqu'à ce qu'ils soient bien tendres.

- Augmentez le feu, mettez les anneaux de calmar dans la cocotte et faites-les cuire quelques minutes en remuant souvent. Ajoutez alors la pulpe et le concentré de tomate, le vin blanc, une gousse d'ail et le bouquet garni. Salez, poivrez, relevez avec une pointe de cayenne et mélangez bien. Faites démarrer l'ébullition puis baissez le feu, couvrez et laissez mijoter une vingtaine de minutes.

- Préchauffez le four à 150 °C (therm. 5).

- Coupez dans la baguette une vingtaine de tranches fines, beurrez-les et mettez-les à chauffer pendant 10 minutes sans les laisser griller. Pelez l'autre gousse d'ail et frottez toutes les tranches de pain avec. Mettez une soupière ou un plat très creux à chauffer.

- Pelez les pommes de terre, lavez-les et coupez-les en dés. Ajoutez-les au contenu de la cocotte et versez 30 cl d'eau. Faites reprendre doucement l'ébullition et poursuivez la cuisson à feu très doux pendant encore 10 minutes. Retirez le bouquet garni, goûtez et rectifiez l'assaisonnement. Versez dans la soupière très chaude.

- Servez aussitôt dans des assiettes creuses, avec les tranches de pain chaudes frottées à l'ail.

soupe de moules

2 kg de moules de bouchot
(ou de Hollande)

1 échalote

1/4 de gousse d'ail

3 ou 4 tiges d'estragon

1 l de vin blanc sec

4 cuill. à soupe
de crème fraîche

2 jaunes d'œufs

1 cuill. à soupe de curry fort

le jus de 1 citron

100 g de beurre

sel et poivre du moulin

- Grattez les moules si nécessaire et rincez-les abondamment à l'eau fraîche.

- Pelez l'échalote et émincez-la. Pelez l'ail. Ciselez l'estragon.

- Dans une grande casserole, versez le vin blanc, ajoutez l'ail, l'échalote et l'estragon, et poivrez.

- Laissez cuire à feu doux pendant 10 minutes.

- Mettez les moules dans la casserole, faites-les ouvrir à feu vif à couvert en secouant souvent le récipient et en remuant une ou deux fois. Retirez du feu dès que les moules sont juste ouvertes. Sortez-les à l'aide d'une écumoire et mettez-les de côté. Passez le liquide de cuisson des moules et mettez-le de côté dans une casserole.

- Décoquillez les moules et gardez-les au chaud dans un récipient posé au-dessus d'une casserole d'eau frémissante.

- Dans une jatte, versez la crème et ajoutez les jaunes d'œufs, le curry et le jus de citron. Mélangez bien et fouettez. Versez la moitié de la cuisson des moules dans ce mélange et remuez jusqu'à ce que la préparation devienne bien lisse. Versez-la dans le liquide de cuisson des moules restant.

- Remettez la casserole sur le feu, maintenez à léger frémissement et incorporez le beurre par petits morceaux tout en continuant de remuer. Goûtez et rectifiez l'assaisonnement.

- Répartissez les moules décoquillées dans des assiettes chaudes et versez la soupe dessus.

- Servez aussitôt, avec, éventuellement, des petits croûtons.

POUR 4 PERSONNES

Trempage : 30 min
Préparation : 40 min
Cuisson : 15 min

6 champignons parfumés secs

1,5 l de moules

50 g de gingembre frais

150 g de tofu

3 gousses d'ail

3 oignons

1 l de bouillon de légumes
(frais ou préparé avec une
tablette de concentré)

4 cuill. à soupe de chao-xing
(ou de xérès)

1 pincée de glutamate

1 cuill. à café de fécule de maïs

quelques gouttes
d'huile de sésame

sel et poivre du moulin

Soupe aux moules et au tofu

- Faites tremper les champignons 30 minutes.

- Grattez les moules, lavez-les soigneusement dans plusieurs eaux. Éliminez celles qui sont déjà ouvertes.

- Pelez le gingembre et coupez-le en quatre morceaux. Portez 1,5 l d'eau à ébullition. Ajoutez le gingembre puis les moules. Faites-les pocher 2 minutes. Égouttez les moules et éliminez celles qui restent fermées.

- Retirez à chaque moule sa valve vide et rangez dans le fond d'une sauteuse les valves pleines.

- Égouttez les champignons et coupez-les en lanières. Coupez le tofu en petits dés. Pelez l'ail et les oignons. Hachez l'ail et émincez les oignons. Réservez la moitié des oignons. Mettez le reste de ces ingrédients dans la sauteuse.

- Recouvrez avec le bouillon et arrosez de chao-xing. Salez, poivrez et poudrez de glutamate. Faites mijoter à feu doux pendant 10 minutes.

- Délayez la fécule de maïs dans un peu d'eau froide. Versez-la dans le bouillon. Amenez à ébullition. Ajoutez l'huile de sésame, remuez.

- Versez dans une soupière, parsemez du reste des oignons et servez.

Potage aux huîtres

24 huîtres

3 dl de vin blanc

1 petit paquet de crackers

2 dl de crème fraîche

100 g de beurre

1 pointe de poivre de Cayenne

sel et poivre du moulin

- Ouvrez les huîtres au-dessus d'un saladier de façon à recueillir toute leur eau. Retirez-les de leur coquille et mettez-les dans une casserole.

- Filtrez l'eau dans une passoire tapissée d'une mousseline et versez-la dans la casserole. Ajoutez le vin blanc.

- Chauffez et retirez du feu dès les premiers frémissements. Avec une écumoire, enlevez les impuretés de surface.

- Écrasez finement entre les doigts la valeur de 3 cuillerées à soupe de crackers et ajoutez-les dans le potage ainsi que la crème.

- Coupez le beurre en petits morceaux.

- Réchauffez le potage et ajoutez le beurre d'un seul coup en mélangeant avec une cuillère en bois. Salez, poivrez, relevez avec le poivre de Cayenne, mélangez à nouveau.

- Servez en soupière.

POUR 4 PERSONNES

Préparation : 15 min

Cuisson : 22 min

24 grosses huîtres creuses

1 oignon

1 échalote

1 blanc de poireau

2 cives

2 carottes

3 brins de persil plat

25 g de beurre

15 cl de vin blanc sec

50 cl de fumet de poisson léger (frais ou préparé avec une base de produit déshydraté)

25 cl de crème liquide

sel et poivre du moulin

Huîtres pochées à la julienne de carotte

- Ouvrez les huîtres, détachez la chair et filtrez soigneusement le jus. Réservez la chair dans une petite casserole ; les huîtres vont reconstituer leur eau. Pelez et émincez très finement l'oignon, l'échalote, le blanc de poireau et les cives. Pelez les carottes et taillez-les en bâtonnets très fins. Ciselez les feuilles du persil.

- Faites fondre le beurre dans une casserole, ajoutez l'oignon, l'échalote, le blanc de poireau et les cives. Faites revenir sans coloration. Salez et poivrez. Versez le vin blanc et le jus filtré des huîtres.

- Portez à ébullition pour faire légèrement réduire puis, ajoutez le fumet et laissez cuire sur feu doux pendant 15 minutes. Filtrez le mélange et reversez-le dans une casserole. Ajoutez la crème. Salez légèrement et poivrez fortement.

- Ajoutez les bâtonnets de carotte et faites-les cuire pendant 5 minutes. Faites frémir les huîtres pendant 30 secondes dans leur eau reconstituée. Égouttez-les et répartissez-les dans des assiettes creuses avec les bâtonnets de carotte, versez le bouillon chaud dessus et ajoutez le persil ciselé.

- Servez aussitôt.

Un soir de fête, remplacez le vin blanc par du champagne et parsemez la soupe de petites touches de caviar ou d'œufs de lump noirs.

Clam chowder

2 kg de clams
(ou de palourdes)

200 g d'oignons

1 petit bouquet de persil plat

600 g de tomates

800 g de pommes de terre

100 g de saindoux

2 brindilles de thym

sel et poivre du moulin

- Ouvrez les clams au-dessus d'un saladier et décoquillez-les. Récupérez leur eau et passez-la au chinois. Coupez la chair grossièrement.

- Pelez les oignons et hachez-les finement. Rincez et ciselez le persil. Rincez et essuyez les tomates. Coupez-les en morceaux. Épluchez les pommes de terre, lavez-les et coupez-les en dés.

- Dans une casserole, faites revenir à feu doux dans le saindoux les oignons hachés sans les laisser se colorer.

- Ajoutez le persil, le thym, les tomates en morceaux, les dés de pomme de terre, l'eau des clams et leur chair coupée en morceaux. Salez légèrement et poivrez. Couvrez et faites cuire à petits frémissements pendant 20 minutes.

- Pendant ce temps, faites chauffer quatre assiettes creuses dans le four à 60 °C (therm. 2).

- Goûtez et rectifiez l'assaisonnement, versez la soupe dans les assiettes chaudes et servez aussitôt avec des crackers, petits biscuits salés, légers et croquants, d'origine anglo-saxonne.

500 g d'épaule d'agneau

3 oignons

1 petit bouquet de menthe

15 cerneaux de noix

15 cl d'huile

1 cuill. à café de curcuma

250 g de fromage blanc battu

sel et poivre du moulin

Potage indien à l'agneau et au curcuma

- Hachez la viande. Pelez et émincez les oignons. Salez, poivrez. Mélangez bien le tout et formez de petites boulettes de la grosseur d'une noix.

- Lavez et hachez la menthe. Hachez les cerneaux de noix.

- Mettez l'huile à chauffer dans une cocotte. Faites-y dorer les boulettes de tous les côtés.

- Ajoutez le curcuma et 1,5 l d'eau. Salez, poivrez et couvrez la cocotte. Prolongez la cuisson pendant 20 minutes environ, à feu moyen.

- Retirez la cocotte du feu. Versez le fromage blanc dans la soupe. Mélangez et rectifiez l'assaisonnement.

- Versez la soupe dans la soupière. Avant de servir, parsemez-la de menthe et de noix.

POUR 8 PERSONNES

Trempage : 12 h
Préparation : 40 min
Cuisson : 1 h

200 g de pois chiches

250 g de viande
(bœuf ou mouton à bouillir)

2 oignons

1/2 dose de safran

5 tomates

2 branches de céleri

1 bouquet de persil plat

1 bouquet de coriandre

100 g de lentilles

40 g de riz

1 cuill. à soupe
de coulis de tomate

50 g de farine

sel et poivre du moulin

Velouté de Fès

- La veille, mettez les pois chiches à tremper dans de l'eau froide.

- Le lendemain, égouttez-les. Coupez la viande en dés. Pelez et émincez les oignons.

- Dans une marmite, mettez la viande, les pois chiches, les oignons et le safran. Ajoutez 2 l d'eau, 1 cuillerée à café de poivre et 2 cuillerées à café de sel. Couvrez. Faites cuire à feu moyen pendant 20 à 30 minutes.

- Lavez les légumes et les herbes. Plongez les tomates 1 minute dans l'eau bouillante, pelez-les et épépinez-les. Effilez le céleri, équeutez le persil et la coriandre. Hachez tous ces ingrédients. Mettez-les dans la marmite.

- Ajoutez les lentilles, le riz et le coulis de tomate. Prolongez la cuisson 30 minutes à couvert.

- Quelques minutes avant la fin de la cuisson, délayez la farine dans un peu d'eau. Versez-la dans la soupe en tournant pour qu'il n'y ait pas de grumeaux. Terminez la cuisson, marmite découverte, en remuant de temps à autre.

- Versez le velouté dans une soupière et servez chaud.

POUR 4 À 6 PERSONNES

Préparation : 20 min
Cuisson : 1 h 30

1 petit morceau
de gingembre frais

3 oignons moyens

1 petite tige de citronnelle

1/2 cuill. à soupe
de coriandre en graines

1 cuill. à café
de piment en poudre

400 g de viande de bœuf
à pot-au-feu (gîte-gîte,
macreuse)

2 cuill. à soupe de nuoc-mâm

2 cuill. à soupe de sauce soja

50 g de vermicelles de riz
ou de soja

150 g de pousses de bambou
(1 petite boîte)

quelques feuilles de coriandre
fraîche

sel et poivre du moulin

Bouillon de bœuf aux saveurs asiatiques

- Épluchez le morceau de gingembre puis détaillez-le en lamelles. Pelez les oignons et la citronnelle puis émincez-les finement.

- Versez environ 1,5 l d'eau dans une marmite. Ajoutez les oignons émincés, la citronnelle, le gingembre et les graines de coriandre grossièrement écrasées. Saupoudrez de piment, salez, poivrez puis portez à ébullition.

- Dès les premiers frémissements, plongez la viande dans la casserole. Attendez la reprise de l'ébullition, écumez puis baissez le feu et laissez cuire tout doucement pendant environ 1 heure. (Vous pouvez aussi cuire la viande dans un autocuiseur pendant 20 minutes environ.) Retirez la viande, déposez-la dans une assiette, laissez-la refroidir puis coupez-la en lamelles.

- Versez le nuoc-mâm et la sauce soja dans la marmite puis portez à nouveau à ébullition. Plongez-y les vermicelles et les pousses de bambou égouttées. Mélangez et laissez mijoter 5 minutes. Remettez les lamelles de bœuf dans la casserole, mélangez et laissez cuire encore 2 minutes. Versez le bouillon dans des bols, parsemez de coriandre fraîche ciselée et servez.

Vous pouvez remplacer les pousses de bambou par des germes de soja et ajouter une carotte coupée en julienne.

1 oignon

1 petit bouquet de basilic

1 brin de menthe

120 g de jambon cru
en tranches très épaisses

1,75 l de bouillon de viande
ou de volaille (frais ou préparé
avec une tablette de concentré)

2 cuill. à soupe d'huile d'olive

150 g de linguines
ou de gros spaghettis

poivre du moulin

Potage
à la sicilienne

- Pelez et hachez finement l'oignon. Rincez le basilic et la menthe, séchez-les puis retirez les grosses tiges et ciselez les feuilles. Coupez le jambon en petits dés. Versez le bouillon dans un faitout et portez-le à ébullition.

- Faites chauffer l'huile d'olive dans une poêle. Ajoutez l'oignon et faites-le cuire à feu doux pendant environ 5 minutes jusqu'à ce qu'il soit bien tendre. Ajoutez le jambon et laissez cuire en remuant pendant encore 2 minutes.

- Versez le contenu de la poêle dans le bouillon. Si vous utilisez des pâtes longues, cassez-les en tronçons de 4 ou 5 cm de long. Plongez-les dans le bouillon et faites-les cuire de 6 à 12 minutes, selon les instructions mentionnées sur l'emballage, en les conservant juste fermes. Au dernier moment, ajoutez la menthe, le basilic et poivrez.

- Servez aussitôt, en proposant un bol de parmesan râpé en même temps.

POUR 4 À 6 PERSONNES

Préparation : 30 min
Cuisson : 1 h 10 environ

750 g de fanes de radis
ou de navet
ou 750 g d'épinards ou
d'oseille

4 oignons
ou cive ou ciboule

2 gousses d'ail

1 bouquet de persil plat

12 gombos

250 g de lard de poitrine fumée

2 cuill. à soupe d'huile

2 branchettes de thym

1 petit piment frais

2 citrons verts

soupe antillaise aux herbes

- Triez les fanes, enlevez les nervures, lavez-les bien. Puis hachez-les grossièrement. Pelez et hachez les oignons. Épluchez et écrasez l'ail. Effeuillez le persil et hachez-le. Lavez les gombos, équeutez-les puis coupez-les en rondelles. Détaillez le lard en petits cubes.

- Faites bouillir 50 cl d'eau dans une casserole. Dans une cocotte, chauffez l'huile puis faites-y revenir les oignons, l'ail, les lardons et le thym émietté.

- Au bout de 2 ou 3 minutes, ajoutez les fanes, les gombos, le persil et le piment. Mélangez et cuisez pendant 5 à 10 minutes. Versez l'eau bouillante, mélangez, couvrez et laissez mijoter 20 minutes, jusqu'à ce que les légumes soient tendres.

- Éteignez le feu. Enlevez les lardons et le piment et réservez-les. Passez le contenu de la cocotte au moulin à légumes. Mettez les lardons et le piment dans la purée obtenue ainsi qu'un peu d'eau si elle est trop épaisse, et laissez mijoter 20 minutes environ sans faire bouillir ; salez. Enlevez le piment. Ajoutez le jus de 1 ou 2 citrons éventuellement.

- Versez dans un plat creux et servez bien chaud.

POUR 4 PERSONNES

Préparation : 20 min
Cuisson : 10 min

300 g de blancs de poulet

1 petit morceau de gingembre
frais

2 oignons

1 gousse d'ail

1 cuill. à soupe d'huile

1/2 à 1 cuill. à café de piment
en poudre

1 tablette
de bouillon de volaille

20 cl de lait de coco

50 g de pousses de soja

1 demi-citron vert

quelques feuilles de coriandre
fraîche

sel

Bouillon de poulet au gingembre et au lait de coco

- Détaillez les blancs de poulet en lanières assez épaisses. Épluchez le gingembre, les oignons et l'ail et émincez-les finement.

- Faites chauffer l'huile dans une casserole et faites-y revenir les oignons et le gingembre en remuant. Ajoutez les lanières de poulet, l'ail émincé et le piment puis laissez cuire à feu vif pendant 3 minutes en remuant sans cesse.

- Délayez la tablette de bouillon de volaille dans 80 cl d'eau frémissante. Versez dans la casserole, ajoutez le lait de coco, mélangez bien puis portez à ébullition.

- Baissez le feu et laissez mijoter tout doucement pendant 5 minutes.

- Rincez et égouttez les pousses de soja puis incorporez-les dans la casserole. Pressez le demi-citron et versez le jus dans la casserole. Salez, mélangez et poursuivez la cuisson encore 1 à 2 minutes.

- Décorez de coriandre fraîche et servez.

Ajoutez des champignons secs que vous réhydraterez dans un bol d'eau tiède.

6 champignons parfumés secs

100 g de nouilles de riz

2 oignons

1 gousse d'ail

50 g de blanc de poulet cuit

1 petit morceau
de gingembre frais

80 cl de bouillon de volaille
(frais ou préparé avec une
tablette de concentré)

1 cuill. à soupe d'huile

sel

Soupe au poulet et aux nouilles de riz

- Faites tremper les champignons 30 minutes dans de l'eau tiède. Égouttez-les et retirez les pieds. Émincez les têtes.

- Mettez les nouilles à tremper 7 minutes dans de l'eau chaude. Égouttez-les.

- Pelez et hachez les oignons et l'ail. Hachez le poulet. Pelez et râpez le gingembre.

- Dans une casserole, mettez les champignons, les deux tiers du gingembre et les oignons. Mouillez avec le bouillon. Amenez à ébullition et faites cuire 5 minutes.

- Chauffez l'huile dans une poêle. Faites-y revenir le reste de gingembre et l'ail. Salez.

- Sortez la soupe du feu. Versez-y le gingembre et l'ail revenus ainsi que les nouilles et le poulet haché. Laissez reposer pendant 5 minutes pour réchauffer l'ensemble. Servez aussitôt.

POUR 6 PERSONNES

Préparation : 25 min
Cuisson : 25 min

300 g de blancs de poulet

50 cl de lait

1 avocat bien mûr

120 g d'olives vertes

persil haché

sel

Crème de poulet à la californienne

- Découpez les blancs de poulet en petits dés.

- Mettez-les dans une casserole avec 80 cl d'eau, le lait et du sel. Portez à ébullition, puis laissez frémir 20 minutes sur feu doux.

- Pendant ce temps, fendez l'avocat en deux, jetez le noyau, prélevez la chair à la cuillère et coupez-la en petits cubes. Dénoyautez les olives vertes et coupez-les en petits morceaux.

- Ajoutez l'avocat et les olives dans la casserole et laissez frémir encore 5 minutes. Versez la crème dans une soupière.

- Parsemez de persil haché et servez chaud.

La cuisine californienne combine de multiples influences. Elle mélange volontiers des produits locaux, des produits exotiques et des saveurs européennes.

Table des équivalences France-Canada

POIDS

55 g	2 onces	200 g	7 onces	500 g	17 onces
100 g	3 onces	250 g	9 onces	750 g	26 onces
150 g	5 onces	300 g	10 onces	1 kg	35 onces

Ces équivalences permettent de calculer, à quelques grammes près, le poids (en réalité, 1 once = 28 g).

CAPACITÉS

25 cl	1 tasse	75 cl	3 tasses
50 cl	2 tasses	1 l	4 tasses

Pour faciliter la mesure des capacités, une tasse équivaut ici à 25 cl (en réalité, 1 tasse = 8 onces = 23 cl).

Direction éditoriale : Colette Hanicotte
Coordination éditoriale : Ewa Lochet
Direction artistique : Emmanuel Chaspoul, assisté de Jacqueline Bloch, Martine Debrais et Cynthia Savage
Conception graphique : Jacqueline Bloch
Réalisation : Véronique de Fenoÿl
Lecture-correction : Chantal Pagès, assistée de Madeleine Biaujeaud
Fabrication : Annie Botrel
Couverture : Anne Jolly, sous la direction de Véronique Laporte
L'Éditeur remercie Cloée Triboulet pour sa participation efficace.

Photographies des recettes (© coll. Larousse) : Bagros Yves (stylisme Laurence du Tilly) : pages 17, 21, 45, 61 ; Bertherat Nicolas (stylisme Coco Jobard avec la collaboration de Christiane Mèche) : pages 33, 65 ; Bertherat Nicolas (stylisme Coco Jobard assistée de Laetitia Schuster) : pages 41, 79, 83 ; Hall Jean-Blaise (stylisme Gilles Poidevin) : pages 5, 9, 13, 29, 69, 89, 93 ; Czap Daniel (stylisme Marie-Line Salaün) : pages 37, 49, 53, 57, 73, 77 ; G + S Photographie (stylisme Isabelle Dreyfus) : page 25 ; Leser Nicolas (stylisme Ulrike Skadow) : page 85.
Photographies des produits : Olivier Ploton © coll. Larousse.
Photographies de la couverture : ht g © Rynio / Stockfood / Studio X ; ht d © David Loftus / Stockfood / Studio X ; bas g © David Loftus / Stockfood / Studio X ; bas d © Jean Cazals/ Stockfood / Studio X.
Remerciements des stylistes (pages 5, 9, 13, 29, 33, 65, 69, 89, 93) : Ikea, Gargantua, Guy Degrenne, Jean Vier, Kenzo, Le Grand Comptoir, Le Printemps de la Maison, Les Toiles du Soleil, Libeco, Maison de Famille, Maisons du Monde, Sabre, Zwilling.

© Larousse, 2006

ISBN : 2-03-560522-9

Photogravure AGC, Saint-Avertin – Imprimé en Espagne par Graficas Estella, Estella
Dépôt légal : mars 2006 – 560522/11002199 février 2006